Beatrice

베아트리체

Cierra 만화 | 마셰리 원작

1

D&C
WEBTOON BiZ

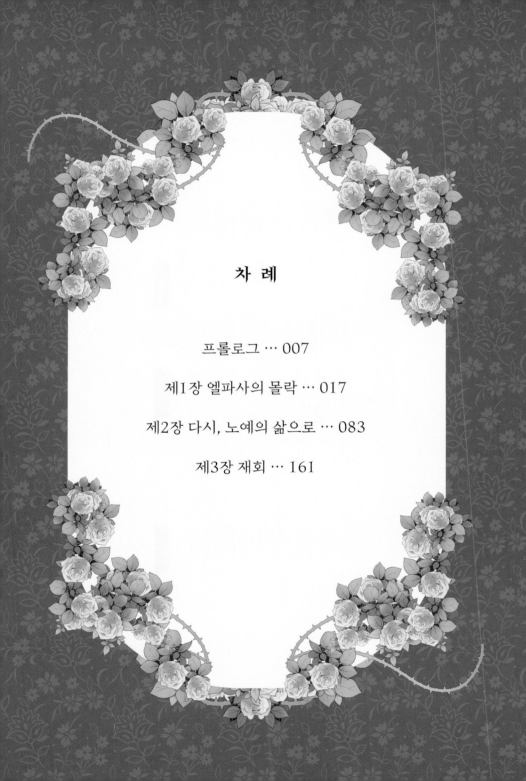

차 례

프롤로그

이렇게…

시간을 끌어 봤자…
죄 없는 시녀들만
더 죽을 뿐이야….

반쪽짜리라 해도
내가 이 엘파사의
마지막 왕녀.

날 처형하기 전까지
저들은 왕국을 절대
떠나지 않을 테지…

두 번째 삶도
끝인 건가…

나예요!

죽고 싶으냐, 살고 싶으냐?

네 남편이 너와 네 나라를 팔았으니,

더 살고 싶기야 하겠냐마는.

컥컥

난…

난 그래도 살고 싶어요.

하지만 죽일 거라면 한 번에 목을 치고,

죄 없는 시녀들은 노예로라도 살려 주세요.

노스테로스 제국의
기사단장,

알렉산드로
그레이엄….

죽여라.

그것이… 그와의
첫 만남이었다.

1장

엘파사의 몰락

죽여라.

성문에 걸어 놓을
머리만 남겨.

그 쥐새끼 같은 자가
자기 아내에게조차
반역을 알리지 않은
모양이군.

검은 머리에
짙은 색의 눈동자….

알아서
처리해.

하긴 저 여자가
자식을 낳더라도
엘파사 왕족의 상징인
백금발을 물려줄 순
없을 테니,

살아서
돌아간다 한들
왕족의 대를 잇지는
못하겠지.

예.

왕녀는 생포하고
시녀들은 노예로
데려간다!!

그 외의 시종은
모두 죽여라!!

사…
살았다!!

죽여라.

성문에 걸어 놓을
머리만 남겨.

살았어…

저 사람이
제국의 기사단장,
알렉산드로 그레이엄.

무서워…!

다시는
마주치고 싶지
않아…!

단장님.

엘파사는 토지가 비옥하고, 세금도 많이 걷을 수 있어

제국의 재정에 확실히 도움이 될 겁니다.

이 탐욕스러운 자가 뭐라 말하며 거절을 할까.

네……?

베아트리체 왕녀를 살려 두셨나요…?

어차피 반쪽짜리 왕녀, 어찌 되든 상관없습니다.

그래도 혹시 모르니 엘파사의 모든 왕족을 멸하시는 게 낫지 않을까요?

단장이 왜 이런 제안을 하는 거지?

싹까지 전부 없애시는 게….

구렁이 같은 제 아비와는 영 딴판이잖아?

상관없다, 없애라…?

이용 가치가 없으면 아내마저 죽이려는 건가?

네가 거두지 않겠다면 왕녀를 노예로 데려가겠다.

차라리 죽는 게
낫겠어요!

말도 안 돼요!
어떻게
노스테로스에서
노예로 살란
말이에요?!

거기서
어떤 취급을
받을 줄 알고요!

그만들 울어….

지금 당장은
절망스럽겠지만

살다 보면
죽지 않길 잘했다고
생각할 날이
올 거야….

31

루미, 죽으면 아무것도 없어….

그래도 우린 지금 살아 있잖아.

쿨쩍

죽겠다고 생각하는 것보단 열심히 살아남는 게 나아.

왕녀님은 원래 노예셨으니 그리 말할 수 있는 거겠죠!

제게 있어 노예가 되는 일은 죽는 것보다 더 치욕스러운 일이에요!

……!!

루미! 왕녀님께 함부로 말하지 마!

앗!

그래, 맞아…

나는 노예였어…

와, 왕녀님…!

모두들 왕궁에 있는 동안 정말 고마웠어…!

하지만…
노예로 살았던 지난 23년이 왕녀로 산 2년보다 더 행복했다고 하면…

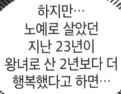

너희는 믿을까?

왕녀님!!

이젠 우리 모두 같은 노예 신세네…

더 이상 날 왕녀라 부르지 말고 편하게 대해 줘.

놀고들 있네.

어이, 왕녀.

노예 신분을 되찾은 게 그렇게 좋으면 기념식이라도 치러 줄까?

왕녀로서 쓸모가
없어졌다면

반역의
씨가 될 수도 있으니
죽이는 게 낫지
않을까요?

예? 예….

……

살려 둬라.

어차피
그 왕녀의 자식은
왕족으로 인정받을 수
없을 테니까.

왜 굳이
살려 두라고 하시지…?
동정심인가?

하긴… 단장님은
길버트 같은 부류를
가장 혐오하시니까.

어렸을 때부터
온갖 권력 다툼을 보며
자라셨으니,

그녀의 처지가
가여웠을지도
몰라.

그 권력 다툼이
얼마나
지겨우셨으면

황궁과 수도에서
벗어나기 위해
열다섯부터 전장에
뛰어드셨을까….

다들
전쟁터만 누비는
무시무시한 남자라고
말하지만,

실은 그저
삶에 무관심할
뿐이지.

한창 좋은
저 나이에…
안쓰럽게도 말이야.

참, 단장님!
제국으로 돌아가시면
바로 승전 파티가
있을 겁니다.

......

전하께서
단장님께 대공의
작위를 내린다고 이미
소문이 파다합니다.

하, 대공?

황위를 거부하니 있지도 않은 작위를 만들어 굳이 수여하겠단 건가?

쿠데타로 황제의 권력까지 손에 쥐더니…

참으로 대단하십니다, 아버지.

이곳 엘파사를 끝으로 제국이 통일되었으니,

이번 승전 파티에는 반드시 가셔야 합니다.

쿵

리오 경,
난 까만 머리는
처음 봐요.

머리 말고
다른 곳도
까만색이려나?

하하! 그러게.
나도 궁금하네!

그건
너희들이 확인해.
난 다른 할 일이
있어서.

왕녀…
아니, 노예님?

제국에선
특별한 노예들의 몸에
인장을 남긴다는 거,
알고 있어?

……!!

41

지금…
나한테 낙인을
찍으려고…?!

시, 싫어!

오지 마!!

리오, 작작해.

전쟁 노예는
영지나 기사단에
배정되기 전까지
황궁의 소유다.

아무리 너라도
허락 없이
하급 노예 낙인을
찍을 순 없어.

하급 노예…?

노예 중에서도
최하의 취급을
당하는…?!

리오는
그렇다 치고
왜 나들까지!

만약 저게
찍혔다면 나는…

내 삶은…!

쳇, 재미없군.

대신 저 왕녀는
내가 데리고 가게
해 줘, 부단장.

왕녀 출신 노예라니
꽤 흥미가 간단
말이야.

안 돼. 조금만 참으면
영지든 기사단이든
배정될 테니
그때까지 기다려.

그래 봤자
너 같은 녀석한테
보낼 생각은 없지만
말이야…

들었지, 왕녀?
조금만 기다려.

까악!!

!!

전쟁 노예란 게
이렇게
혹독한 거였다니…

하앙

이런 처지라면
정말 살아남길
잘한 걸까…?

왕궁 창고에
숨어 있던 것을
발견했습니다.

교묘하게
몸을 감추고
있더군요.

이따위 더러운 수법을 쓰는 걸 보면, 피는 속일 수 없나 보구나!

뚜벅 뚜벅

그 버러지 같은 자를 똑같이 닮았어!!

탁

입만 살았구나. 감히 단장님께 그런 망발을 하다니!!

깡

챙

결혼 따위로
구걸한 거 말고,
네가 네 나라를 위해
해 온 일이 뭐가 있지?

뭐라고…?

무력한
네 나라를
원망해라.

짝

뭐…
뭐 하는…!

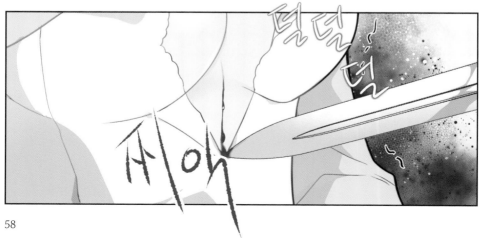

자, 잠깐…!!

제발 그만…!

늘 도도하고
거만하던
알리시아 왕녀가….

고작 그 정도로 부끄러워하는 거야?

고귀하신 왕녀님이라 그런 건가?

제발… 이렇게 빌 테니까…!

……

저 왕녀도 노예로
데려가는 건가?

킥킥

누구 소유가 될까?

그냥 죽여!
제발… 제발!
자비를…!!

킥킥 우리랑
재밌게 놀자고,
왕녀님.

떵떵
떵

언제 또
마음이 바뀌어서
날 죽이겠다고
할지 몰라…!

죽은 듯이,
절대 눈에 띄지
말아야 해…!

빨리빨리 걸어!
쓰러지는 놈은
죽이고 간다!

힘들어….
일주일은
걸은 것 같아….

첫 번째 삶은
그렇게 허망하게
끝나더니,

두 번째 삶은
고난의 연속이구나….

이번 생은
나의 두 번째
삶이다.

전생에서 난
공무원 시험에
실패한 뒤,

다시 대학에 들어가
서른이 넘은 나이에
한의사가 되었다.

그러던 어느 날,
갑작스러운 뺑소니 사고로
목숨을 잃고 말았다.

자신이 원하는 것을
단 하나도 가져 보지
못한 채

내 첫 번째 생은
서른다섯이란
어린 나이에
끝나 버린 것이다.

그리고 얻은
두 번째 생.

무슨 이유에서인진 몰라도
난 전생의 기억을
그대로 지닌 채

중세 시대와
비슷한 왕국,
엘파사에서
다시 태어났다.

비록 하층민인
노예로 태어났지만
삶을 다시 얻었다는 사실에
감사했다.

무엇 하나 내 뜻대로
해 보지도 못하고 끝났던
첫 번째 삶을 떠올리며

당장 죽어도
여한이 없을 만큼
열심히 살았다.

노예 신분으로
어렵사리 글도
익힐 만큼.

그렇게
노예 클로이로서
나름대로 행복한 나날을
보내고 있었지만···.

내가 너의
아버지다.

스물셋이 되던 해,
생전 처음 보는 왕이
찾아와,

자신이
나의 아버지라며
날 왕녀로 궁에 데리고
들어갔다.

그렇게 난
베아트리체라는 이름을
얻게 됐다.

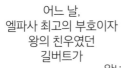

어느 날,
엘파사 최고의 부호이자
왕의 친우였던
길버트가

왕녀와
결혼하고 싶다며
왕에게 혼인을
제안했고…

왕은
자신의 적통인
두 딸 대신,

과거, 하룻밤의 실수로
노예에게서 태어난
나를 그에게 보냈다.

쳇, 금발이
아니잖아?

처음엔
검은 머리에
검은 눈이라
실망스러웠는데,

가가이서 보니
제법 귀엽게
생겼구나.

세상에…! 엘파사와는 비교도 안 될 정도로 거대하고 웅장하잖아…?

과연 대륙을 통일한 제국답구나….

이봐, 너.

넌 이제 에반 부단장님의 가문인 쿠피히트가에 귀속될 예정이다.

일할 부서가 배정될 때까지 숙소에서 잠시 대기하라.

네…….

에반 부단장이라면 기사단장과 함께 있던 그 사람인가?

나를 철저히 노예로 대하는 걸 보면

이제 왕녀로서 이용 가치가 없다 생각하나 봐….

차라리 다행이야.

괜히 왕녀였던 걸 들먹이면서 특별한 노예로 대해 봤자 그게 더 위험할 테니까.

77

이젠 그 누구에게도
여자로 관심받고
싶지 않아.

사락사락

오늘부터
왕녀로 살았던 날들은
모두 잊는 거야.

거기, 너!

이쪽으로
오도록 해.

2장

다시, 노예의 삶으로

큰일이군.

지난
대공 작위 수여식 때
데면데면했던 것만 봐도
그렇고….

부자 사이가
아주 개판이야.

덕분에
집사인 나만
중간에서
골치 아프다니까.

대공님,
전하께서 내일
만찬을 함께하자고
하십니다.

……

대공님?!

거절해.

아니, 이번엔 또
뭐라고 거절한단
말입니까?!

그냥 수도에
머무르시는 김에…

기사 훈련이 끝나면
난 영지로 내려갈
생각이다.

곧 있을
황궁 무투회 때문에
어차피 다시 수도로
올라오실 거잖습니까.

내일 만찬은
꼭 참석하시는 게
좋을 겁니다.

전하께서
올해는 꼭
대공님의 결혼을
성사시키겠다고

황궁에서
공표하셨으니까요.

아버지도 참
한결같으시군.

황궁에서
혼인 발표라니….

누가 들으면
내가 황자라도
되는 줄 알겠어.

내일 만찬에서
대공님의 의사를
분명히 하지 않으면

전하께서 몰래
혼인을 준비하실지도
모르죠.

하긴…
없는 작위까지
만들어 수여한 분이
뭔들 못 할까.

아론, 네가 대신 가서 전해.

내가 기사단의 기사들 중 한 명과 사랑에 빠졌다고 말이야.

그래, 이왕이면 리오가 좋겠군.

뿅!

아무리 그래도 리오 경은 아니지⋯!

이왕이면 크리스 경이 낫겠어.

알겠습니다.

간호과 의약실로
배정되다니
정말 행운이야!

중노동도 아니고
청소나 잡일만
하면 되니까.

엄청 험난할 거라
생각했는데

일이 생각보다
순조롭게 풀리는 거
같아.

여기 있으니
기사들과 마주칠
일도 없고….

어…? 여긴 약을 보관해 두는 창고 같은 건가?

잠시 둘러보는 것 정도는 괜찮겠지?

두리번 두리번

엘파사에서 노예로 살았던 시절 일했던 약방이 생각나네….

끼악…

며칠 뒤

흠… 제법
깔끔해졌는걸.

93

한약재를 공부한 게 이런 데에도 도움이 되네.

모르는 것도 조금 있어서 정리에 고생하긴 했지만…!

끼악,

휙

여기서 뭘 하고 있는 거냐?

저분은 간호과 부원장인 호르헤 님…?

바, 바닥이 너무 더러워서 쓸고 닦았습니다…!

의사도 간호사도 아닌 게 감히 창고에 들어오다니!!

죄송합니다.

아무나 들어오게 방치하다니! 대체 관리를 어떻게 하는 거야?!

……?!

잠깐! 이 약들,
네가 정리한 것이냐?

허락 없이
함부로 약에 손댔다고
혼나겠지…?!

아, 그게…!

정말 잘못했습니다,
부원장님!!

뭐?! 그럼 진짜
이 약들을 분류해서
정리한 게 너라고?!

어떻게 말씀드리든
벌을 받겠지…?

그래도…
사실대로
말씀드리는 게 맞아.

사실 저는
이곳에 오기 전,
약방에서 일하던
노예인데…,

구경만
한다는 게 그만…

어질러진 걸
모른 척 지나칠 수가
없었어요.

아니, 아무리
약방에서 일한 경험이
있다고 해도

여긴 제국에서
가장 큰 약 창고야.

외국에서 온 약도
섞여 있었을 텐데…

글도 모르는 노예가
이걸 다 정리했다고?

네, 약방에서 약초를 배우며 글도 함께 익혔습니다….

원래 신분을 잃고 노예가 된 경우에

글자를 아는 이들을 간혹 보긴 했지만…

이토록 전문적인 지식을 가진 사람은 본 적이 없어.

아무리 약초에 대해 배웠다 해도

감히 그런 얄팍한 지식으로 약에 손을 대다니.

감옥에서 네가 받을 처분을 기다리도록 해라.

네, 죄송합니다….

그래도 생각보다 가벼운 처벌로 끝날 것 같아…!

그런데 네 이름은 뭐지?

아, 제 이름은….

더 이상 베아트리체로 불리고 싶지 않아.

그래, 내 원래 이름은…

제 이름은 클로이입니다.

넌 갈수록
던칸을
빼다 닮는구나.

정말 꼴도 보기
싫게 말이야!

당신 때문에
원치 않는 아이까지 낳은
내 삶은,

당신과 함께한 13년은
온통 고통뿐이었어!!

대공님, 반도라스 공작 영애께서 기다리신 지 한 시간이 넘었습니다.

제발 가서 인사라도 한 번 해 주십시오.

공작 영애께서 미혼인 대공님 집을 드나든단 사실이 알려지면,

귀찮은 스캔들로 번질 겁니다.

제발 한 번만
만나 주십시오!
벌써 열 번이나
방문하셨습니다!

……

집까지 찾아온
영애를 이런 식으로
내쫓았다간

대공님 이미지만
더 나빠집니다!

아론.

예?

내가
그런 것까지
신경 써야 하나?

당연하죠!
클라라 반도라스 영애가
매일 찾아온다니까요?!

아니,
무슨 병이라도
있으신 거 아니야?

아무리
아름다운 여인이 유혹해도
넘어가질 않으시니….

하긴,
그러실 만도 해….

다부진 체격

짙은 갈색 머리

시리도록 푸른 눈

한 번 보면
잊을 수 없을 만큼
매력적이고 수려하다는
그 소문은…,

전부
사실이었다.

나는 1년 전,
승마장에서
우연히 그를 보고
첫눈에 반했다.

아름다운 얼굴에
야성적인 몸을 지닌
완벽한 남자!

그야말로 내게
딱 어울리는 남자야.

제국 대가문의 영애인
이 클라라 님의
신랑감으로 말이지.

어디
누가 이기나
해보자고요,
대공님!

정말 그 노예가
약들의 쓰임새를 알고
분류해 놓은 걸까?

113

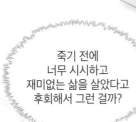

죽기 전에
너무 시시하고
재미없는 삶을 살았다고
후회해서 그런 걸까?

그래도 그렇지….
하필 최하층인 노예로
태어날 건 뭐람….

뭐, 오히려
덕분에 매순간 더
최선을 다해
살긴 했지만……

으흠!

들으면 들을수록
네 지식 수준이
참으로 놀랍구나!

그런데 너는
엘파사의 약물 치료법을
어찌 그렇게
잘 알고 있느냐?

아, 저는…

왕녀였다고 밝혀 봤자
좋을 게 없어…!
그냥 노예라고 하자…!

세상에…
대화를 하다 보니
벌써 날이 밝았네…!

이 아이의 지식은
단순히 잡일을 하는
노예가 아니라

의사와 비슷한
수준이야.

하지만
전쟁 노예라 신분을
바꿀 수도 없고….

……

부원장님,
무슨 문제라도…?

당장 이 아이를
석방 조치해 주게.

혹시
약 창고의 청소를
시키시려는 걸까?

이런 인재를
그냥 썩힐 수야 없지.

넌 오늘부터
약재를 분류하는
책을 쓸 거다.

신분은
못 바꾸더라도,

이 아이가
제국을 위해 일한다면
어쨌든 제국에게도
이득이 아닌가?

책이요…?

그래, 약재마다
복용법에 따른
효능을 알고 싶구나.

그리고 그걸
문서로 정리해
내게 보여 줬으면 한다.

네…?
그렇게 중요한 일을
제가요…?

졸업 논문을
썼던 것처럼 하면
되겠지…?

어떠냐?
할 수 있겠느냐?

네! 시, 시켜만
주신다면…!

네가
맡아 줘야 할 일이
있다.

애나 님,
물이 너무 뜨겁진
않으세요?

괜찮아!
따뜻해서
기분 좋아.

호르헤 님이
내게 맡긴
또 한 가지 일.

어디 불편한 곳
있으시면
꼭 말씀해 주세요.

그것은
밤마다 불면증에 시달리는
쿠피히트 공작가의 영애를
돌보는 일이었다.

어린 나이에
불면증이라니….
딱하기도 하지.

보아하니
선천적인 것
같은데……

아, 혹시
아로마 치료를 하면
효과가 있지 않을까?

나는 지난 2년간의
악몽 같던 결혼 생활을
버틸 수 있게 해 준
아로마 요법을

애나 님에게
시험해 보기로 했다.

그렇게 일주일이 지나고…….

클로이가 만든 향유 있잖아.

정말 은은한 데다 두통도 전부 사라지게 해 주는 것 같아.

효과가 있으시다니 정말 다행이에요!

하암~

눕자마자 온몸이 나른한걸~?

쿠피히트 공작저를 드나들어야 하는 건 부담스럽지만…

애나 님이 나아지는 모습을 보는 건 무척 보람돼…….

제국이 대륙을
평정하는 것,
거기까지가
제 몫입니다.

……

그리고
그 몫을 다했으니
더 이상 절 설득하려
하지 마십시오.

이번만은
저를 이길 수
없으실 겁니다.

각하!

낭떠러지를
건너면서까지
내기에 이기고
싶으셨습니까?!

자네는 고작
그곳을 건너지 못해
돌아왔단 말인가?

제가 아니라
말이 겁을 먹고
뛰어넘지
못했을 뿐입니다!

변명이
진부하다, 그대.

제발 몸을 좀
아끼십시오!

아까 낭떠러지를
뛰어넘으실 때
제 심장이 먼저
떨어질 뻔했습니다!

겨우
산에서 떨어져
죽을 운명이라면,
황제가 될 재목은
아닌 거겠지.

낙마해서
생을 다한다면
아버님도 그리 생각하시지
않겠나.

……

어째서일까.

가끔씩…,

저분이
어디론가 훌쩍
사라지실 것 같은
느낌이 들어.

그후 사람들이
슬퍼하며 추모하는
순간에도,

이미 그럴 걸
예견했던 것처럼

나 혼자만
담담히 그 사실을
받아들일 것 같은
그런 느낌…….

네, 하지만
제국에서 사용하는
향유와는
조금 다릅니다.

꽃 향기가
나지 않거든요.

남자도
향유로 목욕을
한다고?

그럼
무슨 향이지?

난
그 향기 치료라는 걸
도저히
신뢰할 수가 없군.

아니에요!
진짜 엄청 좋아요!
오라버니도 꼭
한번 해 보세요!

정말 온몸이
평온해지는
느낌이에요!

스트레스가 전부
사라진다니까요?!

안 그래도
요새 스트레스가
이만저만이
아니긴 하지….

그런데
스트레스가 전부
사라진다고?

오늘도 참다못해
애나 핑계를 대고
결근할 정도였어…!

그럴 리가.
무슨 사이비 종교도
아니고 절대 못 믿…

반짝
반짝

……

향이 강하지 않아서
더 맘에 들어.

시원하고도
달콤한 이 향….

여긴…
천국인가?

마치
숲속에 있는 것처럼
청량한 기분이군.

* 스트레스의 주범들

뱀 같은 던칸

어디
아픈 건 아닌지
의심되는 대공

미친
반도라스 공작 영애

137

아… 몰라, 몰라. 그 제멋대로인 인간들.

저… 쿠피히트 님?

어디 불편하진 않으신가요?

이젠 아무래도 다 좋아.

……?

하지만 지금은… 아무렴 다 상관없어.

이 노예가 대체 물에다 무슨 수를 쓴 걸까?

아무래도 미심쩍어….

나를 내버려 두어라.

오라버니! 이것도요!

향기 목욕 뒤에는 꼭 시원하고 달콤한 음료를 드셔야 돼요.

후··· 아직도 몸이 둥둥 떠 있는 것 같군.

···그것 또한 치료의 일환이냐?

아뇨! 하지만 일단 마셔 보세요!

이건 여자들이 즐겨 마시는 수정차잖아?

?!

부원장님!
큰일 났습니다!

지금 밖에 대공님께서
에반 부단장님을 부축하여
오셨습니다!

어서 빨리
나가 보셔야 할 것
같아요!

에반 부단장님께서
낙마로 부상을
입으셨어요!

아니, 어쩌다
그런 사고를…!

네 말은
당장 마사로 옮기라
지시했다.

면목이
없습니다….

아마 내일쯤
처형할 거야.

네?!

뭘 그렇게
놀라지?

이유가 무엇이든
한 번 주인을
떨어뜨린 말은
처형하는 게 맞다.

하지만 각하, 그 말씀은…!

……

여자가 차에 치였어!!

어떡해! 빨리 신고해!!

여긴 어디지?
내가 왜 이런 곳에…

클로이,
또 그 소리니?

그건 그냥
이상한 꿈일
뿐이야.

제가 전생에
한국이란 나라에서
살았던 것 같아요…!

하지만 전부 다
기억난단
말이에요…!

죽여라.

성문에
걸어 놓을
머리만 남겨.

여긴…
약 창고?

글을 쓰다
깜빡 잠들었나
보구나…

그나저나
꿈자리가 너무
뒤숭숭한걸….

이제
지난 일은 다 잊고
열심히 살고 있는데
불길하게 이런 꿈을….

끼익

클로이, 마침
여기 있었구나.

호르헤 님…?

?!

이걸 정말
네가 다 썼단
말이냐?!

짧은 시간에
이만큼이나
쓰다니…!

게다가 내용도
굉장히 충실해!

클로이,
수고했…

푸흡!

쿠잉~

긁적 긁적

호르헤 님?
왜 그러세요?

쿡쿡

클로이,
이 아이…,

지식 수준도 놀랍지만
평생을 학자로 산
나와 견줄 만큼
학구열이 대단해.

거기다
성실함에 책임감까지
갖춘 것 같군.

아무래도
우리 둘 다 잠시
휴식이 필요한 것
같구나.

함께 정원을
산책하겠느냐?

149

· ·—·—··—··—

부원장님…!

부단장님은
어떠신가?
아직 잠들어
계신가?

네, 아무 탈 없이
주무시고 계십니다.

잠시 후에
다시 들르겠네.
그럼 수고하게나.

그래,
부단장님을 태운 말이
제자리에서 뛰다가

나무에
머리를 박는 바람에
낙마하셨다는구나.

부단장님이라면….

에반 쿠피히트 공작님
말씀이신가요?

그 부상으로
다리가 골절돼서
방금 막 수술을
마친 참이다.

사람을
떨어뜨렸으니…
그 말은 곧
처분되겠군요.

내가 잠시
그 말을 보고 싶다
청했으니,

바로는 아니고
다음 주쯤
처형될 거다.

응? 말을 보고 싶다고 하셨다고?

애기가 나온 김에 지금 가 봐야겠군. 너도 함께 가 보겠느냐?

우리를 열어라.

아, 네…!

152

히이잉

하울, 내가
널 처음 올라탔을 때가
열 살 때였던가….

비록 짐승이지만
넌 내 마음을
터놓을 수 있는
유일한 친구였다.

새끼 때 팔려 와
부모를 잃은 네가
나와 참 닮았다
생각했었지.

5년 뒤, 처음으로
함께 나간 전장에서

날 대신해
화살을 맞아 준
네게…,

얼마나 고맙고,
또 미안했는지
모른다.

이후 네 새끼인
크산토스를 타면서도
그 고마움을
잊은 적이 없다.

에반이
널 타겠다 했을 때,
널 자주 볼 수 있어
내심 기쁘기도 했지.

에반 역시
충성스럽고
뛰어난 말이라며,

널 그토록
아꼈는데……

하지만
살려 둘 수는
없다.

널 살려 두는 것은
아끼는 수하에 대한
예의가 아니야…

다시 오마.

히이잉…

히이
이잉

와…!
이렇게 크고
좋은 마구간은
처음 봐…!

우와~

말이 나보다
좋은 데 사네….

클로이,
따라오너라.

아, 네…!

굉장히 뛰어난
말인 것 같은데…
너무 안됐어요.

157

수도 외곽에
날루수완이라는
산이 하나 있단다.

그 산 개울가에서
물을 마셨다는데…

내 생각엔 뭔가
잘못 먹은 것
같구나.

독초가 많아서
금지됐다고…?

산이요?

그래, 안 그래도
독초가 많아
평민에겐 출입이
금지된 곳이야.

어째서인지
그곳엔 큰 동물도
별로 없지.

엘파사엔
그런 이유로
출입이 금지된 산은
없었는데….

곰곰...

히이이이잉

지금은 내가
같이 가 줄 수가
없다만….

너 혼자라도
그 산에
가 볼 테냐?

약초에 대해
잘 아는 너라면
낙마 사고의 원인을
알아낼 수도 있겠지.

단, 반드시
돌아와야 한다.

네, 명심할게요!

3장

재회

아니,
저 약초는?!

와아,
이것도 있네?!

이런 약초까지?!?!

독초는커녕
사람한테
이로운 약초로
가득하잖아?

호르헤 님이 아시면
무척 기뻐하실 거야!

?!

그 말이 목을 축인 개울가가 저긴가?

분명 제자리에서 돌면서 날뛰었다고 했지…?

그리고 코피를 흘리는 것 같았어….

아니, 저건 깽깽이풀이잖아?!

맞아, 이 풀은 짐승이 먹으면 방향 감각을 잃고 코피를 흘리다 죽는댔어!

그 말은 분명 물을 마시면서 이 풀을 뜯은 거야!

많이 뜯은 것까진 좋았는데….

급하게 오느라 주머니를 안 챙겨 왔네.

수북~

음…….

에이, 모르겠다! 일단 여기에라도 넣어 가는 수밖에…!

애는 산 귀신이 붙었나…. 왜 이렇게 안 내려와?

쪼끄만 게 겁도 없이 금지된 산에 올라가다니….

영 수상하단 말이지.

어, 그게…. 말을 치료할 수 있는 약초를 땄는데 넣을 곳이 없어서요….

이름이 하울이었구나…!

네, 그 말이 독초를 뜯은 모양이에요.

그래서 해독할 약초를 찾아왔는데……

말?

설마 부단장님의 말, 하울 말이냐?

호르헤 님이 네게 그런 일을 맡기신 거야?

노예한테? 참, 별일이네.

아무튼 주머니 같은 건 없다.

윽, 이 몰골로 되돌아가야 하다니…

네……

뭐 해? 안에 들어가겠다며?

말이 일어나질 못하니 위험하진 않을 거다.

다행히 아직 살아 있었구나!

조금만 더 힘내, 검둥아!!

얼씨구?!

자, 어서
이거 먹어 봐.

잠깐!
너 정말 부원장님의 명으로 온 게 맞느냐?

내가 직접 확인해 봐야겠다! 잠깐 여기서 기다려라!

아, 하지만…!

?!?!

한시라도 빨리 풀을 먹여야 하는데….

마부님은 왜 이리 안 오시지?

이 노예입니다.

애, 애가 갑자기 왜 이래?

......?

네가 무슨 짓을
하려 했는지
낱낱이 고해라!

앗!

아, 저는 그저…
말을 치료하고자,

해독초를 먹이려
한 것뿐입니다…!

말을
치료하다니?!

네까짓 게 뭐라고
저 말을 치료할 수
있단 말이냐?

머뭇..

그게……

네가…

말을
치료할 수 있다고?

네…!
치료할 수
있습니다…!

저게 아주
정신이 나간 모양입니다.
제가 당장 혼쭐을…

아냐, 정신 차려!

어쨌든 검둥이를 치료할 기회를 얻은 거야…!

이왕 이렇게 된 거, 저 말을 꼭 치료해 보이겠어!

네! 최선을 다하겠습니다!

그럼 네가 가져왔다는 그 해독초를 먹여 보아라.

아, 네에…!

차장 주장

혹시 여자가
아닌 건가…?

체구로 봐선
틀림없이 여자가
맞는데….

여자란
겉은 인형 같지만
속은 뱀 같은 이들
아니었나…?

186

......?!

어쩌지…? 전혀 먹으려고 하질 않네…

그렇다면…

문질러서 향을 강하게 하면 식욕이 돌아올지도 몰라…!

자아~ 제발 먹어 보렴~

말도 제대로
못 다루면서 무슨
치료를 하겠다고…!

어구와구

댜댜댜

……

저 노예, 뭔가
믿음이 가질
않는군.

하지만…
독초를 먹은 탓에
에반을
떨어뜨린 거라면

하울이
처형을 면할 수 있으니
지금은 저 노예의 말을
듣는 수밖에….

191

휴…….

산을 오르내릴 때도 이렇게 지치진 않았던 것 같은데….

너는 말이 다 회복할 때까지 이곳에 있어라.

혹시라도 잘못되면 전부 네 책임이야!

네?!

아냐,
대공에 대해선
생각하지 말자.

말만 무사히 치료하면
그 뒤엔 두 번 다시
볼 일 없을 거야.

숨 쉬는 게
아까보단
편안해졌네….

검둥아,
네가 빨리 나아서
나 좀 살려 줘….

내일 허락받고
약초를 더 구하러
가야겠다….

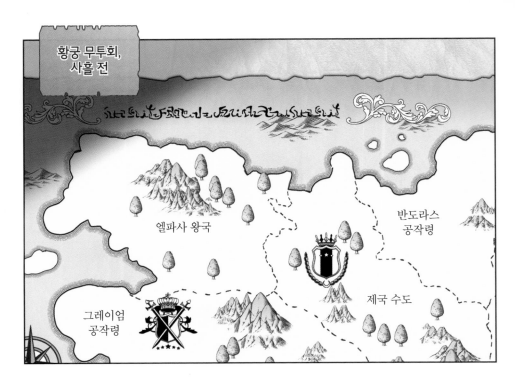

황궁 무투회,
사흘 전

반도라스
공작령

엘파사 왕국

제국 수도

그레이엄
공작령

황궁 무투회는
노스테로스 제국의
가장 큰 행사로

이를 통해
뛰어난 자들을 발굴,
검사나 기사로 승급시켜
군사력을 보강하는 것이
목적이다.

그리고 이들은
제국을 횡단하는
세리머니에
의무적으로 참여한다.

제국을 두루 돌며
애국심을 키우고
공동체 의식과 충성심을
기르는 것이다.

196

또한, 큰 영지의
귀족들까지
견제할 수 있으니
황궁 입장에선
일석삼조나 다름없는 행사.

제국의 모든 이가
이 무투회와 세리머니를
고대하고 있었다.

단 한 명을
제외하고…….

이 세상은
내 편이 아니야.

젠장! 대공님은 무서운 이미지 때문에 여자들한테 인기 없는 거 아니었나?

하여간 전하의 혼인 발표 이후에 하루도 편할 날이 없다니까…!

그레이엄 대공이 이번 세리머니를 이끌 것이오.

또한 세리머니 전에 대공의 약혼식을 치르고자 하오.

아니, 약혼식은 여자 혼자 해?!

그리고 가뜩이나 세리머니로 정신없는데 약혼은 뭔 놈의 약혼?!?!

그나마 반도라스 공작 영애의 영역 표시 작전 덕분에 오는 연서가 줄어서 망정이지….

가장 큰 문제는 우리 대공님인데….

차라리 고마울 지경이야.

여자를 믿지 않는 그분을 내가 무슨 수로 혼인을 시키냐고요.

아~ 목욕이나 하고 싶다.

털썩

그 노예는 대체 언제 돌아오는 거야?

기사단에 연락이라도 해 봐야겠군.

서근 서근

아니, 대체 어디까지 가는 거야?

너 도대체 뭐 하는 애냐?

아, 저는… 약방에서 일하던 노예였어요.

평생을 거기서 일하다 보니 잡지식이 많아서

여기선 원장님을 도와 일하게 됐고요.

흐음…….

단순히 잡지식이 많은 노예라 보기엔 대접이 남다르던데….

그 노예가 도망갔다간 우리 둘 다 죽은 목숨이야!

한시도 떨어지지 말고 잘 감시해, 알았지?! 밧줄로라도 묶고 다니란 말이야!

아니, 암만 그래도 어떻게 쟤를 밧줄로 묶어서 데리고 다니냐고…

그 녀석도 어지간히 소심한가 보군.

이제 곧 정상이에요!

우와…
이런 장관은
처음 보는군…!!

폴짝

폴짝
깍

찾았다!

부원장님?!

그럼 네가 말이 먹은 독초를 알아내고,

해독할 수 있는 약초까지 구해 왔다는 말이냐?

네, 어서 말을 살려야겠다는 생각에…

연락을 드리지 못해 죄송해요.

확실히 코피도 멎었고 전에 봤을 때보다 눈에 띄게 상태가 좋아졌어.

그리고 날루수완 산에는 독초보다 약초가 훨씬 더 많았어요!

허락해 주시면 새로 발견한 약초에 대해서도 기록하고 싶어요!

그래, 너라면 분명 말을 살릴 수 있을 게다.

어서 여길 나와서 책을 쓰는 일을 계속해 다오.

뭔가 단서를
얻어 오는 정도로만
기대했는데…

아예 해결책까지
찾아올 줄이야.

이만 가 보마.

게다가 생명을
소중히 여기는
마음씨까지 지녔어.

저 아인 필시
훌륭한 의사가 될
재목이야.

돌아가면
가장 먼저 애나 님께
가야겠어.

칼은이
괜찮앙?

마음이
여리신 분이라
많이 걱정하고
계실 거야…

지금
자기 처지를
분간 못 하는 건가?

분명
하울이 죽으면
죽이겠다 했거늘.

원래는 조용한
노예인데, 참….

하지만 신통하게도
그 해독초인지 뭔지는
효과가 있는 것
같습니다.

흠… 확실히
전보다 괜찮아
보이는군.

원래는 저 노예를
취조하려 했지만
일단 경과를 더
지켜봐도 괜찮겠어.

다음에 다시
오도록 하지.

다각

다각

권력과 권력의 결합.

대공님, 전하께서 세리머니 전에 약혼식을 치르겠다고 발표하셨습니다.

피곤하군….

그걸 추구한 결과가 어땠는지는 스스로 가장 잘 아실 텐데.

대체 제가 어찌 대처해야 합니까?

분명 혼인할 생각이 없다고 밝혔건만, 막무가내로 나오시겠단 건가.

만약 내 부모님이
평범한 사람이었다면
어땠을까…?

조금만 욕심내고,
가진 것에 만족하며 사는
사람들이었다면……

…또 부질없는
생각을 했군.

애초에
그들의 욕심이 아니었다면,
난 세상에 존재하지도
못했을 것을….

대공님께선
기사단의 지휘관들과
두루 친하시지만,
가장 친밀히
지내시는 분들로는…

뭐?
에반 쿠피히트
부단장?!

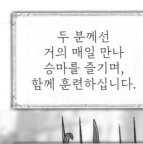

두 분께선
거의 매일 만나
승마를 즐기며,
함께 훈련하십니다.

때로는
어깨에 손을 올리는 등
친밀한 접촉을 하기도…

잠깐,
그는 유부남이
아니던가?

분명 부인을
쫓아다니다가
겨우 혼인했다고
들었는데?

휴….
소문난 애처가니,
걱정할 필요는
없겠군.

게다가 그는
나이도 많고,
자식도 둘이나 있으니
그런 사이일 리 없어.

이건 또 뭐야?

젊은 기사?!

그리고 이번에
제2기사단의 대장이 될
크리스 스캘로웨그라는
젊은 기사와는
다소 돈독한 관계로 보입니다.

은밀한 정보에 따르면
두 분만 야외 목욕을
즐기신 적도….

항상 아무도
없는 곳에서 대련을 하고,
끝난 뒤 나타나실 때엔
두 분 모두 땀에
흠뻑 젖어 있었다 합니다.

설마, 설마…!

말도 안 돼.
내 아들이…!!

218

험프리!
당장 들어오게!

예, 전하!

……?

다급한 목소리로
부르시더니,
왜 아무 말씀이
없으시지…?

험프리, 네게
세 명의 아들이 있다고
가정해 보지.

예?

똑똑하지만
욕심 많은 형들과는 달리,
막내는 둔하고 멍청한
집안의 말썽꾸러기지.

하지만 넌
표현을 못 했을 뿐,
막내아들을 가장
아끼고 사랑한다면…

그런 막내아들이
사랑하는 여인을 따라
사막으로 간다고
했을 때,

넌 그를
붙잡겠느냐?

음?
내가 모르는 아들
두 분이 더 계신가?

…저라면
아들이 진정으로
원하는 일인지를
먼저 묻겠습니다.

그리고 아이가
그렇다고 한다면…

됐다,
그만 나가 봐.

탁

아들을 사랑하니
사막엔 보낼 수 없다고
말씀드렸어야 했나?

왜 저런 질문을
하신 거지?

대체
이 애물단지를
어찌해야
좋단 말이냐…!

아니,
그레이엄 대공님
아니십니까!

뚜벅

뚜벅

반도라스 공작….

이제 곧 연회인데
참석하지 않으시는
겁니까?

볼일이 있어
불참하게
됐습니다.

223

그럼 이만
실례하지요.
즐거운 연회 되시길.

자신의 딸이
불행해지든 말든,

팔아넘기듯
결혼시키면서까지
권력을 갖고 싶은가?

정말
신물 나는 인간들…!

차라리 동물이
인간보다 더
순수하고 고결하지.

오늘은
깨어 있겠다고
하더니만….

…….

푸르르…

황당하군.

그때 이후로 나흘밖에
지나지 않았는데…
회복이 빠르군.

정말 곧
달릴 수 있을지도
모르겠어.

온 나라가
축제로 떠들썩한데
혼자서만 태평하군.

검은 머리인 걸 보면
타국에서 온 노예인가?

외모만 봐서는
아직 어린애
같기도 하고….

네, 약간
지방 사투리가
있는 것 같았지만
정확히 어디 출신인지는
모르겠습니다.

깨울까요?

간호과 소속
노예라고 했었지?

이 노예는
제국의 언어를
사용하던가?

예, 정확히는
쿠피히트 공작가의
노예지요.

아론 쿠피히트 님께
몇 번 소식을 전한 적이
있습니다.

아론에게?
왜지?

글쎄요?
저도 이유는
잘 모르겠습니다. 최대한 빨리
노예를 돌려달라며
매일 상태를
물으십니다.

대체 왜?
아론 취향이
이런 어린애였나?

설마
그럴 리가….

그가 매일
이 노예에 대해
묻는다고?

네, 그리고
노예가 풀려나면
바로 저택으로 데려오라
명하셨습니다.

......

여자가 확실하긴 한 건가?

하하! 꼭 남자애처럼 하고 다니지만 여자가 맞습니다.

으음......

평소엔 소심한데
이럴 때 보면 참…
대범하다
해야 할지….

⋯⋯⋯

다시 오겠다.

뚜벅

뚜벅

결국 그 뒤로
잠을 설쳤더니
피곤하다….

클로이,
일어났냐?

네, 부탁드려요!

오늘도
산에 갈 거면
트리거를 불러 주마.

참, 어제 대공님께서
하울을 보고 가셨다.

뿌르르

하울, 안녕?

정말 회복이
빠르구나!
이제 곧 바깥도
거닐 수 있겠어.

아무 말씀 없으셨지만
오늘은 대공님이 오시면
인사를 드리는 게
좋겠어.

네, 알겠습니다…!

나흘째
매일 찾아오다니…
안 바쁜가?

말이
회복될 때까지
계속 이렇게
넘어갈 수도 없고….

설마 내가 또 잠들어 있다고… 화내면서 목을 치진 않겠지?

군더더기 없는 몸가짐, 낮은 목소리, 그리고 무관심한 말투….

아냐…! 그레이엄 가문은 약속을 어기지 않는댔어.

젤레

젤레

평생을 권력자로 살아온 사람의 특징….

게다가 하울이 회복되고 있는데, 날 죽여서 좋을 게 없잖아…!

그런 사람들은 부족한 게 없어서 비열하지 않고 약속도 잘 지키니까….

괜찮을 거야.

애 벌써 다 나았냐?!

깡짝

엄마야!!

트리거 님! 오셨어요?

뭘 그렇게 놀라? 아무튼 엄청 소심하다니까.

근데 이 녀석, 얼마 전까지 코피 질질 흘리면서 뻗어 있더니

벌써 이렇게 나았어?

워낙 뛰어난 명마라 건강을 되찾는 것도 빠른 것 같아요.

내가 안 볼 때 무슨 마법이라도 부린 건 아니고?

싱긋

자, 그럼 오늘도 약초 캐러 가 보자고~!

말투가 험하긴 해도 좋은 사람이야.

무투회 축제가 한창인데 매일 빼먹지 않고 도와주다니….

그렇게 꾸물대면 두고 간다~!

네! 가요!

대공님께서
오시긴 할까요?

그러게요….
오늘은 대공님께서
주인공인 연회인데
안 보이시네요….

그토록
미남이시라는 그분을
여태 한 번도
뵙질 못했답니다.

어머,
한 번 뵌다고
뭐가 달라질까요?

호호호..

오르지 못할 나무는
쳐다도 보지 않는 것이
나을 텐데…….

나왔다,
사교계의 미친X.
반도라스 공작 영애…!

여러분도 아시다시피
저는 전하께서 공인하신
대공님의 약혼녀랍니다.

미모로 보나
가문으로 보나
대공님께 어울릴 여인이
저 말고 누가 있겠어요?

그러니 일찌감치
꿈 깨시지요!

오호호호호~

…….

239

떡 줄 사람은
생각도 안 하는데
영역표시 활동은
끊이질 않는군….

근데 정말
어디 계신 거지?
참석하셔야 한다고 그토록
말씀드렸건만….

…설마?!

앗!

아무래도 직접 마주치기엔 너무 위험해.

그냥 자도… 괜찮지 않을까?

게다가 이 시간까지 안 오는 걸 보면 오늘은 안 올지도 모르잖아.

뚜벅

뚜벅

마치 바깥세상과 단절된 것처럼 조용하고 평화롭군….

……

새근
새근

저녁까진 분명
깨어 있었는데…
시간이 늦어
잠들었나 봅니다.

됐으니
우리를 열어라.

히이잉

푸르르

부비 부비

이 정도면
달릴 수 있을 것
같지 않나?

예, 상태를 봐선
충분할 것
같습니다.

오늘은
우리를 나가고 싶다며
울부짖었다니까요?

불과
일주일 전만 해도
죽어 가던
녀석이었는데,

정말 저 애가
하울을 고쳤단
말인가?

노예에게
달리 이상한 점은
없었나?

이상한 점이요?

어휴,
말도 마십시오!
이상한 게 한두 가지가
아닙니다!

조그만 애가
먹기는 얼마나
먹어 대는지!

마부들 먹는 밥의
두 배는 먹는 것
같습니다.

게다가 매일
그 날루수완 산을
겁도 없이
올라 다닌다니까요!

245

예, 어제도
저 아이를 보러
오셨습니다.

뭐, 산이 어떻고
약이 어떻고 하면서
대화가 끊이질
않더군요.

알면 알수록
수상한 노예군.

무투회
세리머니에 데려갈
간부급 기사들의 말은
몇 마리지?

푸르르······

스무 마리
정도입니다.

흠······.

내일 하울이 달릴 수 있는지, 이상한 점은 없는지 확인하고 에반에게 보고하라.

예, 알겠습니다.

위이잉-

사라각

네? 마구간에 갇혀 있는 노예를 물으시는 겁니까?

그래, 그 노예를 이번 세리머니에 데려갈까 하네.

대체 왜지…?

하울의 치료만 끝나면 당장 약초책의 집필을 시작하려 했는데….

빤히—

조, 좋은 생각이십니다.

뻘뻘

대공님께 많은 도움이 될 아이입니다.

그래, 세리머니는 길어야 1년이니까.

대공님께서 데려가시겠다는데, 반대하는 건 말도 안 되지.

꾸욱

…마치 눈앞에서 사탕을 뺏긴 어린애 같군.

그대가 그 노예에게 각별한 관심이 있다던데…

그게… 그 아이는 조금 특별합니다.

웬만한 의사 못지않은 지식을 가진 아이입니다.

실제로 약초를 다루는 능력은 저보다 뛰어날 정도지요.

그대가 겸손이 지나치군.

아닙니다, 겸손이 아니라 사실입니다.

입산이 금지된 날루수완 산도

그 아이 덕분에 독초보다 약초가 더 많단 걸 알 수 있었죠.

하울이 독초를 먹었단 것도 클로이가 먼저 알아보고 해독초까지 찾아온 겁니다.

그 노예의 이름이 클로이인가?

그렇습니다.

두 분 말씀 중에 죄송합니다.

대공님께 중요한 보고를 드려야 하여⋯.

쿠피히트 가문에서
골칫덩이 취급을 받고,
내쳐지다시피 한
둘째 아들이
저 사람인가 보군.

……………………

속닥
속닥

스스로
관직을 포기하고
대공님의 집사로
들어갔다더니…
겉보기엔 멀쩡한데?

그럼 그 노예는
무투회가 끝나고
세리머니에 함께
가는 것으로 알겠다.

아, 네…!
클로이가
큰 도움이 되길
바라겠습니다…!

잠깐만요!

방금…
클로이라고
하셨습니까?

그… 꾀죄죄한 옷에
짧은 더벅머리를 하고

의약실에서 일하고 있는
저희 가문 소속의
소심한, 그 노예?

검은 머리에
소년 같은,
그 노예 아이요?

…자네도
클로이를 아는가?

키가 여기까지 오는
조그마한 아이
말씀이시죠?

맞는 것 같군.
클로이가 이번 세리머니에
함께 간다고 하네.

참 영광스러운
일이지.

대공님이
세리머니를 떠나면

그런데 그 노예를
세리머니에
데려가신다니…!

당분간
스트레스 안 받고
실컷 향기 목욕을
즐기려고 했는데…!

무슨… 문제라도
있나?

아, 아닙니다!
그런데… 그 노예는
일꾼으로
데려가시는 건가요?

아마 그렇겠지만,
간호에 재능이 있으니
의사를 따라가면
좋을 것 같네.

어떻습니까,
대공님?

글쎄, 말 치료를
담당하는 마부로
데려가려 했으나
딱히 상관은 없네.

그래!
이대로 클로이를
아예 간호과에
배속시키는 거야!

뭐?!

대공님! 그 아이는
저희 가문에서 애나를
돌보는 일을 했습니다!

제 생각엔···
시중을 곧잘 드니
대공님의 하녀로
데려가는 게
좋겠습니다.

상처도 잘 치료하고
안마도 잘하는 데다

대공님의 말까지
살필 수 있다니,
일석삼조
아니겠습니까?!

파지직

내가 간호과에
그 아이를
넘길 줄 알고?!

네, 대공님!

아···

흠, 그렇다면
아론 자네가 알아서
배속시키도록 해.

그 노예가
일을 꽤 하는가 보군.
저렇게 서로 못 데려가
안달이라니.

뚜벅,
뚜벅

......

많이 늦으셨네요,
대공님?

어서 오세요, 대공님~!

멋대로 남자 침실에 들어와 있다니…, 제정신이 아니군.

얼굴도 뛰어난데
몸까지 이렇게 좋다니,
난 정말 행운아야.

꼭 내 남자로
만들겠어!

대공님을
몇 시간이나
기다렸는지 몰라요.

그렇다면 제게도
예의를 기대하지
않으시겠군요.

제국 최고의 미인이
유혹하는데
이 반응은 뭐야?

흥!
차가운 얼음쯤이야
내 미모로 얼마든지
녹일 수 있지.

전 영애를
귀족 아가씨로
대하지 않겠습니다.

감히
내 입맞춤을
거부해?

어디
다시 한번…!

꺅!

이, 이게 무슨 짓이에요?

예의도 모르는 꼬맹이한테 걸맞은 대접을 한 것뿐.

철썩

말도 안 돼! 다섯 살 때도 이렇게 혼나 본 적은 없어!

이런 굴욕은 처음이야…!

다음번에 또 저를 마주하신다면… 그때는 영애를 여인으로도 대하지 않을 것입니다.

잘 아셨습니까?

영애를
자택까지 모셔라.

여자라면 누구든
내 저택에
방문해도 된다고?

아버지,
노망이라도
나신 겁니까…!

베아트리체 1권 끝

황궁 무투회 세리머니에
알렉산드로의 시중으로 동행하게 된 클로이!

덜 덜덜…

너, 이리 와.

이, 이번엔 정말
죽이려나 봐……!

대공의 눈에 띄지 않기 위해 숨죽여 지내지만,
그와 멀어지려 하면 할수록
점점 더 깊게 엮이게 되는데…!

Beatrice
베아트리체
2권을 기대해 주세요! ─────

초판 발행 2023년 9월 11일

그림 Cierra
글 마셰리

펴낸이 이왕호
본부장 곽혜은
편집팀장 장혜경
책임편집 김가람
표지 디자인 최은아
본문 디자인 (주)디자인프린웍스
타이틀 디자인 송가희

국제업무 박진해 김수지 전은지 유자영 박이서 남궁명일
온라인 마케팅 박선혜 김경태 박서희
영업 조은걸
관리 채영은
물류 최준혁

펴낸곳 (주)디앤씨웹툰비즈
출판등록 2002년 12월 9일 제25100-2020-000093호
주소 서울시 구로구 디지털로26길 123 지플러스타워 1305~8호 (08390)
대표전화 (02)853-0360 **팩스** (02)853-0361
전자우편 book@dncwebtoonbiz.com
블로그 blog.naver.com/dncent

ISBN 979-11-6777-142-1 (07810)
　　　　979-11-6777-141-4 (set)

* 잘못된 책은 구입처에서 바꿔 드립니다.